CLAUDE DEBUSSY

Séguidille

pour voix et piano

Édition de Marie Rolf

DURAND

Avertissement

Cette édition critique de « Séguidille » constitue un tiré à part
des ŒUVRES COMPLÈTES DE CLAUDE DEBUSSY,
Série II, volume 2.

Note

This critical edition of « Séguidille » is an excerpt from the
COMPLETE WORKS OF CLAUDE DEBUSSY, Series II,
volume 2.

Remerciements

L'éditeure remercie Denis Herlin de ses suggestions éditoriales,
Mylène Dubiau-Feuillerac et Roy Howat de leur révision
minutieuse, respectivement, de la partition et de l'introduction,
Jonathan Bowman de la configuration finale de la partition
et Edmond Lemaître et Nelly Quérol de leur assistance à la
production. Elle adresse sa gratitude particulière au propriétaire
du manuscrit de « Séguidille » pour son aimable autorisation
d'étudier le manuscrit et ses encouragements à sa publication.

AVANT-PROPOS

« Séguidille » de Debussy, d'après le poème de Théophile Gautier, est une composition en tous points remarquable. Ses 218 mesures en font la mélodie la plus longue jamais écrite par Debussy ainsi que l'une des plus brillantes. Dédiée à sa muse, Marie Vasnier, « Séguidille » déploie des feux d'artifices vocaux, tels que trilles et traits coloratures atteignant dans l'aigu le *do*♯. En tant que l'une de ses premières explorations des rythmes et des coloris évocateurs de l'Espagne, elle constitue une possible réplique personnelle de Debussy à l'opéra *Carmen* de Bizet.

La fascination que Debussy éprouva sa vie durant pour l'Espagne remonte loin. Artiste particulièrement réceptif au climat ambiant, Debussy ne put résister – tout comme Bizet, Chabrier [1] et, plus tard, Ravel – au fort attrait qu'exerçait en France tout ce qui venait d'Espagne, aux chansons et danses traditionnelles données dans les cafés et les rues de Paris. L'une de ses premières mélodies, intitulée « Madrid », est tirée d'un poème extrait des *Contes d'Espagne et d'Italie* [2] d'Alfred de Musset dans lequel le poète décrit une séductrice andalouse qui n'est pas sans ressemblance avec le personnage de Carmen de l'opéra de Bizet. Il semble probable que Debussy ait assisté à Vienne en 1882, en compagnie de sa bienfaitrice Nadezhda von Meck [3], à une représentation de *Carmen*, partition à laquelle il fut sans doute initié en profondeur par son professeur de composition Ernest Guiraud [4]. Ce dernier composa les récitatifs de l'opéra de Bizet et en rassembla douze morceaux en deux suites orchestrales,

la première en 1882 (deux ans après que Debussy commença à étudier avec lui), et la seconde en 1887. Par ailleurs, Debussy put aussi être influencé par l'ascendant que l'Espagne exerçait sur ses maîtres et sur d'autres étudiants du Conservatoire. Ainsi, le fait que son professeur d'harmonie, Émile Durand, mit également en musique « Séguidille » de Gautier [5], incita peut-être son disciple à s'y essayer [6].

L'attraction de Gautier pour l'Espagne se manifeste dans son ouvrage *Voyage en Espagne*, écrit à la suite de son long séjour dans ce pays en 1840. En 1845, année de la publication de *Carmen* de Mérimée, parut le recueil de quarante-trois poèmes de Gautier intitulé *España*. « Séguidille », treizième poème de cet ensemble et le seul à comporter un refrain qui en facilite grandement la mise en musique, respecte la forme de base d'une séguedille poétique, à savoir un *copla*, ou quatrain, de quatre vers suivi d'un *estribillo*, ou tercet, de trois vers qui sert de refrain [7]. Dans les séguedilles classiques, chaque *copla* alterne des vers de 7 et de 5 syllabes selon un schéma de rimes ABAB, chaque *estribillo*, à l'inverse, des vers de 5-7-5 syllabes selon un schéma de rimes CDC, tous les vers de 5 syllabes (2 et 4, et 5 et 7) présentant une assonance [8]. Gautier s'écarte de cette structure dans sa « Séguidille » : ses *coplas* y sont octosyllabiques, selon un schéma de rimes ABBA, et l'assonance y est réservée aux *estribillos*, dont le nombre de syllabes est inégal, mais qui respectent des rimes CCC. Les *coplas* de Gautier reproduisent une langue simple et populaire aux pulsations régulières et évitent les complications telles que l'enjambement, tandis que ses *estribillos*, en contraste, empruntent une pulsation irrégulière dans leur évocation de l'ensorcelante Manola, personnage comparable à une grisette espagnole.

1. L'opéra *Carmen* de Bizet, créé en 1875, n'obtint la faveur du public parisien qu'à sa reprise en 1883. Le voyage de Chabrier en Espagne, en 1882, inspira sa pièce orchestrale *España* dont le succès fut immédiat et enthousiaste lors de sa création en 1883. Il est fort possible que l'audition de l'une ou l'autre de ces œuvres ait directement encouragé la décision de Debussy de composer « Séguidille ».

2. La mise en musique par Debussy de la « Ballade à la lune » de Musset, extrait du même recueil hispanique, est aujourd'hui perdue, mais est mentionnée par Paul Vidal dans « Souvenirs d'Achille Debussy », in : *La Revue musicale*, 1er mai 1926, p. 12-13.

3. François Lesure, *Claude Debussy : Biographie critique*, Paris, Fayard, 2003, p. 59. Au cours de l'automne 1880, Debussy joua la suite de *L'Arlésienne* de Bizet pour piano à quatre mains, chez madame von Meck ; ardente protectrice de Tchaïkovski, elle engagea Debussy à en étudier l'œuvre (Lesure, *Claude Debussy : Biographie critique*, p. 47). Tchaïkovski fut enthousiasmé par l'opéra de Bizet ; il assista apparemment à la production originale à l'Opéra-comique le 19 janvier 1876 (voir : Susan McClary, *Georges Bizet : Carmen*, Cambridge, Cambridge University Press, 1992, p. 116). Il écrivit plus tard de *Carmen* : « un chef-d'œuvre…, une œuvre destinée à refléter au plus haut point les goûts musicaux et les aspirations d'une époque tout entière. » (Voir : Herbert Weinstock, *Tchaikovsky*, New York, Alfred A. Knopf, 1943, p. 223) et « Je ne peux penser à rien qui m'ait vraiment passionné ces dernières années, à part *Carmen* et le ballet de Delibes [*Sylvia*] ». (Voir : « *To my best friend* » : correspondence between Tchaikovsky and Nadezhda von Meck, 1876-1878, éd. Edward Garden et Nigel Gotteri, trad. Galina von Meck, Oxford, Clarendon Press, 1993, p. 88).

4. Guiraud enseigna au Conservatoire à partir de 1876 et devint titulaire de la classe de composition en décembre 1890, époque à laquelle Debussy commença à étudier auprès de lui.

5. Intitulée « Alza ! (Séguidille) », la mise en musique d'Émile Durand parut chez Durand, Schœnewerk & Cie en 1874. Cette mélodie de forme classique comporte trois strophes identiques en *ré* majeur. Je suis reconnaissante à François Le Roux, du Centre international de la mélodie française à Tours, de m'en avoir fourni une copie.

6. Son condisciple Gabriel Pierné, qui fréquentait aussi la classe d'Émile Durand, mis en musique « Les fille de Cadix » de Musset en 1883. La même année, Debussy utilisa le même texte pour sa « Chanson espagnole », mélodie hispanisante qu'il inclut dans le recueil Vasnier, ensemble de treize mélodies qu'il offrit à sa muse Marie Vasnier en 1884. Les pages des premières esquisses connues de « Séguidille », qui précédaient immédiatement « Chanson espagnole », furent étrangement supprimées de ce volume. Le poème « Les filles de Cadix » de Musset était déjà célèbre grâce à la mise en musique de 1872 de Delibes. Auguste Bazille, professeur d'accompagnement et de réduction au piano de Debussy, appréciait la musique de Delibes (Lesure, *Claude Debussy : Biographie critique*, p. 42) et il se peut que Debussy y fût initié grâce à lui. De plus on se souvient que Gautier écrivit l'argument du célèbre ballet *Giselle* d'Adolphe Adam.

7. Mentionné par Chris Collins, spécialiste de Falla, in : « Gautier's Spain and Falla's France: Voice and Modes of Performance in "Séguidille" », in : *Dix-neuf* 17, n° 1 (avril 2013), p. 11. Je suis reconnaissante au Pr Collins de m'avoir généreusement fait connaître son texte.

8. V. http://www.britannica.com/EBchecked/topic/532747/seguidilla.

À l'origine, Gautier conçut son texte non comme un poème mais comme les paroles d'une chanson intitulée « La Manola », créée le 21 septembre 1843, dans un vaudeville satirique intitulé *Un voyage en Espagne* [9] et mise en musique par le compositeur et chef d'orchestre Julien Nargeot [10]. Deux ans plus tard, Nargeot publia « La Manola » arrangée pour voix et piano dans un recueil de chansons parisiennes intitulé *Paris chantant, romances, chansons et chansonnettes contemporaines* [11]. Cette chanson emprunte un « Tempo di Bolero », sur l'ostinato rythmique ♩♫♫ ♩♫ à 3/4 comportant souvent un triolet caractéristique sur la deuxième moitié des 2e et 3e temps, et recourt à la tonalité naturelle de la guitare de *mi* mineur tout en passant en majeur au refrain.

On ignore si Debussy eut connaissance de la mise en musique du texte de Gautier par Nargeot ou de celles réalisées par environ une douzaine de compositeurs après lui [12]. Il est néanmoins facile d'imaginer le lien, conscient ou inconscient, qu'a pu établir Debussy entre le personnage de Manola de Gautier et celui de Carmen de Mérimée [13]. La représentation de *Carmen* de Bizet de novembre 1882 réanima-t-elle les souvenirs de ses précédentes expériences espagnoles ? Il avait, en effet, deux ans auparavant, assisté à une *corrida*, toujours avec madame von Meck, à Saint-Sébastien [14] et avait apparemment passé quelques temps aussi à Madrid [15].

Que ce soit par contact direct ou exposition indirecte à la musique traditionnelle espagnole, les inflexions ibériques de *Carmen* de Bizet ne pouvaient manquer de retentir dans l'oreille et la mémoire de Debussy. Les très célèbres « Séguidille » et « Habanera » de Bizet arborent plusieurs clichés suggestifs de leur teinte espagnole, tels que mélange modal et des enjolivements chromatiques sur une rythmique harmonique lente, et l'insistance sur les intervalles de secondes et sixtes bémolisées phrygiennes soulignant la couleur modale. Les triolets mélodiques, les sauts d'octaves charmeurs et les ornements accompagnant les joyeux « tra-la » caractérisent l'insouciance de Carmen. Quoiqu'éloignée, par bien des aspects, de la danse andalouse, la « Séguedille » de Bizet reprend la notion de final *bien parado* [16] dans lequel les danseurs se figent brusquement dans leur dernière position.

Debussy reproduisit cette conclusion dans sa mise en musique de « Séguidille » de Gautier et s'appropria plusieurs autres formules hispanisantes de la « Séguedille » de Bizet ainsi que d'autres parties de *Carmen*, en particulier la « Habanera » de l'acte I et la « Chanson bohème » de l'acte II. La mélodie de Debussy fait écho de façon peut-être encore plus frappante à l'Entr'acte de Bizet qui relie les actes III et IV sur les mêmes pulsations ternaires [17], un rythme harmonique lent et des inflexions chromatiques (surtout la couleur modale phrygienne) comme dans sa « Séguedille », mais sur un rythme de boléro accentué par le tambourin. Bizet construit sur cette structure une ligne mélodique descendante langoureuse et syncopée, comme dans la « Habanera » de Carmen, cédant finalement le pas à des trilles et à des vocalises spectaculaires ; il introduit, à l'apogée de l'Entr'acte, un tétracorde descendant parfois appelé « espagnol » ou « andalou » (apparu également plus tôt dans l'opéra, dans l'introduction à la « Chanson bohème »), procédé mélodique que Debussy exploite abondamment dans sa propre « Séguidille ».

Debussy ne publia pas cette mélodie de ses débuts et l'on peut se demander pourquoi il ne la proposa pas après la création de *Pelléas*, alors que les éditeurs lui réclamèrent soudain plus d'œuvres et qu'il n'hésita pas à revisiter d'autres pièces vocales, telles que les trois mélodies de *Fêtes galantes*, série 1, sur les poèmes de Verlaine, ou sa mise en musique de « Paysage sentimental » et de « Voici que le printemps » de Bourget [18], qu'il retoucha à l'intention d'un public plus large en abaissant la tessiture, affinant la prosodie et modifiant d'autres détails. Quelles qu'en soient les raisons, il est peu vraisemblable que Debussy ait « oublié » sa « Séguidille » car, en 1909, Manuel de Falla sollicita son aide en vue de la publication de ses *Trois mélodies*

9. Gautier collabora avec Paul Siraudin aux trois actes d'*Un voyage en Espagne*, créé au Théâtre des Variétés, le 21 septembre 1843, et publié la même année à Paris chez Detroux, rue Notre-Dame-des-Victoires, n°20 et chez Tresse, au Palais-Royal. « La Manola » fut chantée par Alice Ozy.

10. Stéphane Escoubet, « Les mises en musique des poésies d'España : une Espagne de salon ? », in : *Bulletin de la Société Théophile Gautier* 22 (2000), p. 225 et 232. À la p. 227, Escoubet mentionne également le lien unissant Fanny Elssler, qui popularisa la *cachucha*, dansé en style de boléro, et Gautier, ainsi que la collaboration du poète et de Nargeot, qu'il prénomme Jean, et non Julien. Andrew Gann identifie justement ce dernier comme Pierre-*Julien* Nargeot, violoniste, qui dirigea l'orchestre du Théâtre des Variétés de 1845 à 1865. Voir : Andrew G. Gann, « Lyrics by Gautier: the Poet as Songwriter », in : *Francofonia* 2 (1982), p. 91.

11. *Paris chantant, romances, chansons et chansonnettes contemporaines*, Paris, Lavignac, 1845, p. 205-206.

12. Parmi lesquels « La véritable Manola » d'Emile Bourgeois et « Alza ! (Séguidille) » d'Émile Durand. Communication personnelle d'Andrew Gann, 2 août 2012.

13. Lien explicitement établi par la comédienne et chanteuse Carmen Sevilla dans la chanson « Carmen de España ».

14. Lesure, *Claude Debussy : Biographie critique*, p. 44.

15. Je remercie mon collègue Denis Herlin d'avoir porté à ma connaissance une lettre mentionnant l'expérience de Debussy à la vue des toiles de Velasquez et de Raphael au musée du Prado, quelques temps avant son séjour à la Villa Médicis de Rome. Bizet, n'ayant jamais visité l'Espagne, en saisit l'essence musicale à travers les *Echos d'Espagne*, entre autres sources. Voir : Ralph P. Locke, « Spanish Local Color in Bizet's *Carmen*: Unexplored Borrowings and Transformations », in : *Stage Music and Cultural Tranfer: Paris 1830 to 1914*, Annegret Fauser et Mark Everist, éds., Chicago, University of Chicago Press, 2009, p. 316-360.

16. Luisa Morales, « Dances in Eighteenth-century Spanish Keyboard Music » ; voir : http://www.cilam.ucr.edu/diagona/issues/2005/morales.html. Voir aussi : Suzanne Rhodes Draayer, *Art Song Composers of Spain : An Encyclopedia*, Lanham, MD ; Toronto ; Plymouth, UK, The Scarecrow Press, Inc., 2009, p. 6. La « Habanera » de Bizet se termine également par un *bien parado*.

17. L'Entr'acte de Bizet est à 3/4, tandis que « Séguedille » est à 3/8. Les *seguedillas* auxquelles Bizet peut avoir accès dans le recueil *Echos d'Espagne*, édité par P. Lacombe et J. Puig y Alsubide (Paris, Durand & fils, 1870), sont toutes notées à 3/4. L'usage d'une mesure à 3/8 par Bizet relève d'une liberté artistique (sinon de notation) minime. Debussy écrivit aussi sa mélodie à 3/8.

18. Moins de la moitié des treize mélodies du recueil Vasnier furent publiées du vivant du compositeur, dont les versions révisées de « Fantoches » (1903), « Mandoline » (1890), « Paysage sentimental » (1891, 1902) et « Voici que le printemps » (1891, 1902), et de nouvelles versions de « En sourdine » et de « Clair de lune » (1903).

d'après trois poèmes de Gautier dont « Séguidille »[19]. La dédicace de Falla de sa mélodie espagnole « à Madame Claude Debussy » révèle un geste de reconnaissance envers le compositeur français soit pour sa simple recommandation auprès d'un éditeur, soit pour son assistance éditoriale plus conséquente[20].

Qu'il ait ou non montré sa propre « Séguidille » à Falla, ce qu'on ignore, Debussy était toujours, à l'évidence, conquis par la musique espagnole[21] comme le prouvent l'achèvement d'*Ibéria*, l'année précédant sa rencontre avec Falla au sujet de « Séguidille », la composition de *Lindajara* (1901) et de « La soirée dans Grenade » (1903) dont le compositeur espagnol qualifia le caractère évocateur de « rien moins que miraculeux »[22] et celle de « La sérénade interrompue », datée de fin 1909 ou début 1910, incontestablement fondée sur le langage musical d'Albéniz[23]. Il se peut qu'à cette époque Debussy ait été impressionné par « Séguidille » de Falla dont il admirait non seulement les inflexions modales idiomatiques mais aussi les enchaînements de tierces colorés, la rythmique espagnole authentique et l'approche fidèle et économe du texte dans lequel Falla différencie adroitement la voix du narrateur de celle de la Manola – autant d'éléments absents de sa propre mélodie de jeunesse. Conscient d'avoir évolué bien au-delà de sa première mise en musique de « Séguidille », Debussy s'était décidé à aborder une poésie plus à l'avant-garde[24]. Et bien avant sa première rencontre avec Falla, il avait apprécié

Verlaine, Mallarmé et Baudelaire et s'était détournée promptement de son penchant originel pour la poésie de style plus classique illustrée par les Parnassiens.

PRINCIPES ÉDITORIAUX

Le traitement du texte poétique est essentiel à toute édition de mélodies. Lorsque Debussy a parfois modifié les vers de Gautier, la version originale de ce dernier est notée et le changement signalé dans la liste des variantes. Toutefois, notre édition reprend le poème original lorsque des changements mineurs de ponctuation, de majuscules, de placement de syllabes et d'orthographe ne semblent pas découler de révisions compositionnelles délibérées. Dans « Séguidille », Debussy a souvent recours à la répétition du texte, maniérisme qu'il évitera dans ses œuvres de maturité. Dans ces passages, la ponctuation a été ajoutée éditorialement à l'édition. Les phrases mélodiques sans accompagnement de texte sont maintenues en l'état, laissant au chanteur la possibilité d'exécuter les vocalises qu'il jugera adéquates.

À l'image de nombreuses mélodies de jeunesse de Debussy, « Séguidille » comporte des traits mélismatiques, traitement prosodique qu'il écartera aussi formellement de ses mélodies ultérieures. Il respecta dans ces passages la notation traditionnelle du tiret long (—) placé après la syllabe et/ou le regroupement sous une ligature des hampes des notes du mélisme. Notre édition associe les deux notations conventionnelles quand elles sont absentes du manuscrit. Des liaisons de phrasé ont été ajoutées à l'édition sur les passages mélismatiques comportant du texte et maintenues dans les quelques occasions où Debussy les nota sur des passages sans texte.

La précipitation avec laquelle Debussy a apparemment travaillé a entraîné des erreurs de placements d'altérations, des notations incomplètes d'altérations sur des unissons doublés ou sur des octaves, ou des oublis d'altérations figurant dans une mesure d'un passage ostinato mais pas dans les suivantes ; ces erreurs ont été rectifiées à l'édition (en petits caractères). De même, Debussy nota parfois des points de prolongation ou des points d'orgue sur toutes les notes d'un accord sauf une ou deux, et des liaisons de tenuto à la fin d'un système sans les reporter au début du suivant, ou inversement. Les éléments de notation manquants dans ces cas ont été ajoutés tacitement.

Le manuscrit de « Séguidille » ne comportant aucune indication dynamique, cet aspect de l'exécution est laissé à la musicalité et au bon goût des interprètes.

Les différences de notations sans effet musical, telles que la direction des hampes ou la ligature des hampes des notes, sont rectifiées tacitement sauf si elles relèvent d'une intention particulière de Debussy dans la conduite de la voix. Les adjonctions éditoriales concernant le rythme ou le phrasé sont placées entre crochets [ ], et les altérations et silences ajoutés à l'édition sont gravés en caractères plus petits. Les liaisons ainsi que les soufflets de crescendo et de decrescendo ajoutés par l'éditeur sont indiqués comme suit : ⌒, ⟨ et ⟩.

19. Une lettre de Debussy à Jacques Lerolle de janvier 1910 aboutit à la parution la même année des *Trois mélodies* de Falla chez Rouart et Lerolle (voir : François Lesure et Denis Herlin, *Claude Debussy, Correspondance (1872-1918)* [Paris, Gallimard, 2005, p. 1243]), mais les négociations de Debussy avec des éditeurs pour le compte de Falla étaient déjà en cours à l'automne 1909 (voir : Lesure et Herlin, p. 1215 et 1220).

20. On sait, par exemple, que Debussy donna des conseils de composition pour « Chinoiserie », une des *Trois mélodies* de Falla, ainsi que pour son opéra *La vida breve*. Les suggestions éditoriales concernant la mélodie sont exposées par Jaime Pahissa, *Manuel de Falla : His Life and Works*, trad. Jean Wagstaff (London, Museum Press, 1954), p. 72-3, et ses idées pour l'opéra sont exposées par Michael Christoforidis, « De la composition d'un opéra : Conseils de Claude Debussy à Manuel de Falla », in : *Cahiers Debussy* 19 (1995), p. 69-76. Voir aussi : Yvan Nommick, « La présence de Debussy dans la vie et l'œuvre de Manuel de Falla : Essai d'interprétation », in : *Cahiers Debussy* 30 (2006), p. 27-83.

21. Falla avait étudié auprès du compositeur et musicologue Felipe Pedrell à Madrid. Maurice Emmanuel raconta : « Debussy me montra un jour une publication qu'il portait *dans sa poche* : c'était le recueil de chansons traditionnelles de Pedrell. Il exprima en un geste silencieux l'inspiration qu'il en avait tirée. » Cité in : Edward Lockspeiser, *Debussy: His Life and Mind*, Cambridge, Cambridge University Press, 1978, II, p. 260. Lockspeiser suppose que le volume porté par Debussy devait être *La Cançó popular catalana* de Pedrell (paru à Barcelone en 1906).

22. Manuel de Falla écrivit le 8 novembre 1920 ce commentaire qui fut repris dans « Claude Debussy et l'Espagne », in : *La Revue musicale*, 1er décembre 1920, p. 206-210. Il fut traduit dans l'ouvrage de Lockspeiser (II, p. 257) et apparaît dans la traduction anglaise *On Music and Musicians* de l'ouvrage de Manuel de Falla (*Escritos sobre música y músicos*) par David Urman et J. M. Thomson (Londres et Boston, Marion Boyars, 1979, p. 41-45).

23 Voir l'étude des « Sources des titres » de Roy Howat dans sa préface aux *Préludes, Œuvres complètes de Claude Debussy*, Série I, vol. 5, Paris, Durand-Costallat, 1985, p. xiii et xvii.

24 Ceci pourrait expliquer le maintien du recueil Vasnier de « Coquetterie posthume », tiré du recueil ultérieur de Gautier, *Emaux et Camées*, et l'omission de ses deux autres mises en musique de poèmes de Gautier « Séguidille » et « Les papillons » qui furent écrits beaucoup plus tôt par le poète.

Marie Rolf

(Traduction Agnès Ausseur)

FOREWORD

Debussy's "Séguidille," based on the poem by Théophile Gautier, is quite a remarkable composition. Comprising 218 measures, it is the longest song ever written by Debussy. It is also one of the flashiest. Created for his muse, Madame Marie Vasnier, "Séguidille" features vocal pyrotechnics such as trills and coloratura runs that end on a high $c\#_6$. As one of Debussy's first explorations of the evocative rhythms and colors of Spain, this song may be viewed as his personal response to Bizet's *Carmen*.

The seeds for Debussy's lifelong fascination with Spain were sown early on. As a creative artist who was keenly aware of his environment, he could not fail to have been influenced—as were Bizet, Chabrier,[1] and later, Ravel—by France's well-established attraction to all things Spanish. He surely would have been exposed to Spanish folk songs and dancing performed in the cafés and on the streets of Paris. Among his very first *mélodies* was "Madrid," drawn from Alfred de Musset's *Contes d'Espagne et d'Italie*.[2] In it Musset portrays a seductive Andalusian temptress, not unlike Carmen in Bizet's opera. Debussy presumably attended a performance of *Carmen* in Vienna in November 1882 with his patroness Madame Nadezhda von Meck,[3] and it is highly likely that he would have come to know the opera well through his composition teacher, Ernest Guiraud,[4] who constructed the recitatives for Bizet's opera and compiled twelve numbers from it into two orchestral suites, in 1882 (two years after Debussy had begun to study with him) and in 1887. Other possible Spanish-inflected influences on Debussy may have come from faculty and students at the Conservatoire. For example, his harmony teacher, Émile Durand, also set Gautier's "Séguidille,"[5] which may even have prompted Debussy to try his hand at it.[6]

Gautier's own fascination with Spain is documented in his book, *Voyage en Espagne*, following his extended trip there in 1840. In 1845, the same year in which Prosper Mérimée published *Carmen*, Gautier's set of 43 poems entitled *España* appeared. "Séguidille" is the thirteenth poem in this collection and the only one with a refrain,[7] making it highly adaptable to a musical setting. It follows the basic outline of a poetic seguidilla in that it consists of a 4-line *copla*, or quatrain, followed by a 3-line *estribillo*, or tercet, which serves as a refrain. However, in traditional seguidillas, each *copla* alternates lines of 7 and 5 syllables, with a rhyme scheme of ABAB, and each *estribillo* presents the reverse, with lines of 5-7-5 syllables and a rhyme scheme of CDC. Furthermore, all of the 5-syllable lines (2 and 4, and 5 and 7) typically feature assonance.[8] Gautier varies this structure in his "Séguidille"; his *coplas* are consistently octosyllabic, displaying an ABBA rhyme scheme, and he features assonance primarily in his *estribillos*, which are irregular in their syllabification but display a constant end-rhyme of CCC. Gautier's *coplas* mimic a simple, popular idiom that contains regular cadences and eschews complexities such as enjambements, while his contrasting *estribillos* shift to an irregular cadence and introduce the captivating Manola, who may be characterized as a Spanish *grisette*.

In fact, Gautier first penned his work not as a poem but as a set of lyrics for a song called "La Manola"; it was premiered on 21 September 1843 within a satirical vaudeville entitled *Un Voyage en Espagne*,[9] and set

---

1. Bizet's *Carmen*, premiered in 1875, did not take hold with Parisian audiences until its revival in 1883. Chabrier's travel to Spain in 1882 was followed by his orchestral *España*, which enjoyed immediate and tremendous popularity when it was premiered in Paris in 1883. It is quite possible that performances of either of these works may have provided a direct impetus for Debussy's decision to compose "Séguidille."

2. Debussy also set Musset's "Ballade à la lune," from the same Spanish collection. Although it remains presently untraced, this setting is mentioned by Paul Vidal in "Souvenirs d'Achille Debussy," *La Revue musicale* (1 May 1926): 12–13.

3. François Lesure, *Claude Debussy: Biographie critique* (Paris: Fayard, 2003), 59. During the fall of 1880, Debussy played Bizet's *L'Arlesienne* suite for piano, four hands, at Madame von Meck's (Lesure, *Claude Debussy: Biographie critique*, 47), and we know that her beloved Tchaikovsky, whose work she compelled Debussy to learn, was quite taken with Bizet's opera. The Russian composer apparently saw the original production of *Carmen* at the Opéra-Comique on 19 January 1876 (see Susan McClary, *Georges Bizet: Carmen* [Cambridge: Cambridge University Press, 1992], 116), and he later wrote that *Carmen* was a "masterpiece . . . a work destined to reflect in the highest degree the musical tastes and aspirations of an entire epoch" (see Herbert Weinstock, *Tchaikovsky* [New York: Alfred A. Knopf, 1943], 223) and "I can't think of anything that I've really fallen for in recent years except *Carmen* and Delibes's ballet [*Sylvia*]" (see *"To my best friend": Correspondence between Tchaikovsky and Nadezhda von Meck, 1876–1878*, ed. Edward Garden and Nigel Gotteri, trans. Galina von Meck [Oxford: Clarendon Press, 1993], 88).

4. Guiraud had taught at the Paris Conservatoire since 1876, but became titular of composition in December 1890, when Debussy began to study with him.

5. Entitled "Alza! (Séguidille)," Émile Durand's setting was published by Durand, Schœnewerk & Cie in 1874. This straightforward song comprises three identical strophes in D major. I am grateful to François Le Roux for sending a copy of this work to me from the Centre International de la Mélodie Française in Tours.

6. His fellow student Gabriel Pierné, also in Émile Durand's class, set "Les Filles de Cadix" by Musset in 1883. In this very year, Debussy used the same text as the basis for his "Chanson espagnole," a Spanish song that he included in the Recueil Vasnier, a collection of thirteen songs that he presented to his muse Marie Vasnier in 1884; the first known sketches for "Séguidille," on the pages immediately preceding the "Chanson espagnole," were curiously excised from that volume. Musset's "Les Filles de Cadix" was already well known through its 1872 setting by Delibes. Delibes's music was favored by Auguste Bazille, Debussy's teacher of piano accompaniment, for exercises for score reduction (Lesure, *Claude Debussy: Biographie critique*, 42), and it is possible that Debussy was exposed to his work in this context. In addition, readers will recall that it was Gautier who wrote the story for Adolphe Adam's popular ballet *Giselle*.

7. Mentioned by Falla scholar Chris Collins in "Gautier's Spain and Falla's France: Voice and Modes of Performance in 'Séguidille'," *Dix-neuf* 17, no. 1 (April 2013): 11. I am grateful to Dr. Collins for generously sharing his text with me.

8. See http://www.britannica.com/EBchecked/topic/532747/seguidilla.

9. Gautier collaborated with Paul Siraudin in the three-act *Un Voyage en Espagne*, premiered at the Théâtre des Variétés on

to original music by composer and conductor Julien Nargeot.[10] Two years later, Nargeot published "La Manola" for voice and piano in a collection of Parisian songs entitled *Paris chantant, romances, chansons et chansonnettes contemporaines*.[11] This song is cast in a "Tempo di Bolero," with its ostinato rhythm of ♩♫♫ ♫ in 3/4, and with a characteristic triplet figure that often appears on the second half of beats 2 and 3. It is set in the guitar key of E minor, but shifts to major for the refrain.

We do not know if Debussy was exposed to Nargeot's setting of Gautier's text, or those of about a dozen other composers afterwards.[12] However, it takes no stretch of the imagination to envision Debussy making a connection, either subliminal or overt, between Gautier's Manola and Mérimée's Carmen.[13] Did Achille-Claude's experience of Bizet's *Carmen* in November 1882 rekindle memories of his previous experiences in Spain? Two years earlier he had attended a bullfight, again with Madame von Meck, in San Sebastián,[14] and he apparently had spent some time in Madrid as well.[15]

Whether gleaned from direct experience or from indirect exposure to Spanish folk music, the Iberian inflections of Bizet's *Carmen* surely resonated in Debussy's ear and memory. Bizet's immensely popular "Séguedille" as well as his "Habanera" feature several clichés that evoke their Spanish flavor, including modal mixture and chromatic elaborations over a slow harmonic rhythm. The composer's emphasis on Phrygian flatted seconds and flatted sixths adds further modal color, and his melodic triplets and seductive octave swoops, as well as grace notes accompanying gay "tra-las," epitomize Carmen's insouciance. While

Bizet's "Séguedille" is in many ways atypical of the Andalusian seguidilla dance, it does capture the notion of a final *bien parado*,[16] in which the dancers abruptly freeze in their final position.

Debussy mimicked this ending in his setting of Gautier's "Séguidille," appropriating many other "Spanish" formulae from Bizet's "Séguedille" as well as other parts of *Carmen*, notably the "Habanera" from Act I and the "Chanson bohème" from Act II. Debussy's song echoes perhaps even more persuasively the Entr'acte linking Acts III and IV, which features the same quick triple meter,[17] slow harmonic rhythm, and chromatic inflections (especially the Phrygian flavor) found in his "Séguidille," but now in a bolero rhythm, accentuated by the tambourine. Above this foundation, Bizet introduces a languid and syncopated descending line, related to Carmen's earlier "Habanera," that contrasts with a riotous and florid ascending melody which ultimately gives way to spectacular trills and runs. At the climax of the Entr'acte the composer exposes a descending tetrachord, sometimes called a "Spanish" or "Andalusian" tetrachord (again an element heard earlier in the opera—in the introduction to the "Chanson bohème"), a melodic gesture that Debussy exploits fully in his own "Séguidille."

Although Debussy did not publish this early song, one may wonder why he did not resuscitate it in the wake of the premiere of *Pelléas*, when publishers were suddenly clamoring for more works from him. He did not hesitate to revisit other vocal works, such as the three Verlaine songs of *Fêtes galantes*, série 1, or his settings of Bourget's "Paysage sentimental" and "Voici que le printemps";[18] these the composer purposefully polished for consumption by a wider audience—lowering the tessitura, refining the prosody, and retouching other details. Whatever his reasons for not returning to his early setting of "Séguidille," he is unlikely to have "forgotten" it, for he was approached in 1909 by Manuel de Falla to assist in the publication of his *Trois mélodies*, based on three Gautier poems, including "Séguidille."[19] The fact that Falla dedicated his Spanish song to "Madame Claude Debussy" implies a gesture of appreciation to the French composer,

21 September 1843, and published that same year in Paris, chez Detroux, rue Notre-Dame-des-Victoires, no. 20 and chez Tresse, au Palais-Royal. "La Manola" was sung by Miss Alice Ozy.

10. Stéphane Escoubet, "Les Mises en musique des poésies d'*España*: Une Espagne de Salon?", *Bulletin de la Société Théophile Gautier* 22 (2000): 225 and 232. On p. 227, Escoubet also mentions the connection between Fanny Elssler, who popularized the bolero-like *cachucha*, and Gautier, and the poet's collaboration with Nargeot. In his references to Nargeot, Escoubet consistently refers to him as Jean, not Julien. Andrew Gann identifies him correctly as Pierre-*Julien* Nargeot, reporting that he was also a violinist and that he conducted the orchestra at the Théâtre des Variétés from 1845 to 1865; see Andrew G. Gann, "Lyrics by Gautier: the Poet as Songwriter," *Francofonia* 2 (1982): 91.

11. *Paris chantant, romances, chansons et chansonnettes contemporaines* (Paris: Lavignac, 1845), 205–206.

12. Two examples include "La véritable Manola" by Émile Bourgeois and "Alza! [Séguidille]" by Émile Durand. Andrew Gann, personal communication, 2 August 2012.

13. Actor and singer Carmen Sevilla makes the connection explicitly in the song "Carmen de España."

14. Lesure, *Claude Debussy: Biographie critique*, 44.

15. I am grateful to my colleague Denis Herlin for sharing a letter (between third parties) that mentions Debussy's experience of viewing the canvasses of Velasquez and Raphael at the Prado some time prior to his stay at the Villa Médici in Rome. While Bizet had never traveled to Spain, he captured its musical essence through his exposure to the *Echos d'Espagne* and other sources; see Ralph P. Locke, "Spanish Local Color in Bizet's *Carmen*: Unexplored Borrowings and Transformations," in *Stage Music and Cultural Transfer: Paris 1830 to 1914*, Annegret Fauser and Mark Everist, eds. (Chicago: University of Chicago Press, 2009), 316–60.

16. Luisa Morales, "Dances in Eighteenth-century Spanish Keyboard Music"; see http://www.cilam.ucr.edu/diagonal/issues/2005/morales.html. See also Suzanne Rhodes Draayer, *Art Song Composers of Spain: An Encyclopedia* (Lanham, MD; Toronto; Plymouth, UK: The Scarecrow Press, Inc., 2009), 6. Bizet's "Habanera" also ends with a *bien parado*.

17. Bizet's Entr'acte is in 3/4, as opposed to the 3/8 meter of his "Séguidille." The seguidillas that Bizet would have known from the collection *Echos d'Espagne*, edited by P. Lacome and J. Puig y Alsubide (Paris: Durand & fils, 1870), are all notated in 3/4, so Bizet's use of a 3/8 meter implies some minor artistic (or notational) license. Debussy, too, notated his song in 3/8.

18. Of the thirteen songs in the Recueil Vasnier, fewer than half were released for publication during the composer's lifetime. They include revised versions of "Fantoches" (1903), "Mandoline" (1890), "Paysage sentimental" (1891, 1902), and "Voici que le printemps" (1891, 1902), and recomposed versions of "En sourdine" and "Clair de lune" (1903).

19. A letter from Debussy to Jacques Lerolle, dating from January 1910, resulted in the publication that year of Falla's *Trois mélodies* by Rouart and Lerolle (see François Lesure and Denis Herlin, *Claude Debussy, Correspondance (1872–1918)* [Paris: Gallimard, 2005], 1243), but Debussy's negotiations with publishers on behalf of Falla were already underway in fall 1909 (see Lesure and Herlin, 1215 and 1220).

whether simply for intervention in finding a publisher for his songs or for a greater, editorial involvement with them.[20]

While we do not know if Debussy shared his own "Séguidille" with Falla, he was clearly still enmeshed in Spanish music.[21] He had completed *Ibéria* the year before meeting with Falla about "Séguidille," and had already composed *Lindaraja* (1901) and "La Soirée dans Grenade" (1903), whose evocative nature the Spanish composer called "nothing less than miraculous."[22] Late in 1909 or early in 1910, Debussy composed his "La sérénade intérrompue," audibly based on the idiom of Albéniz.[23] Perhaps when Debussy heard Falla's "Séguidille" around that same period of time, he admired not only its idiomatic modal inflections but also the song's colorful third relations, authentic-sounding Spanish rhythm, and Falla's respectful and economical approach to text setting, skillfully differentiating between the voice of the narrator and that of the Manola—elements lacking in his own early song. By then Debussy no doubt felt that he had moved far beyond his youthful setting of "Séguidille," and wanted to align himself with more cutting-edge poetry.[24] Long before he ever met Falla, Debussy had connected with Verlaine, Mallarmé, and Baudelaire, and quickly relinquished his fascination with the older style of poetry represented by the Parnassians.

20. We know, for example, that Debussy offered compositional advice for Falla's "Chinoiserie," one of the *Trois mélodies*, as well as for his opera, *La vida breve*. Debussy's editorial suggestions for the former are discussed in Jaime Pahissa, *Manuel de Falla: His Life and Works*, trans. Jean Wagstaff (London: Museum Press, 1954), 72–3, and his ideas for the latter are discussed in Michael Christoforidis, "De la composition d'un opéra: Conseils de Claude Debussy à Manuel de Falla," *Cahiers Debussy* 19 (1995): 69–76. See also Yvan Nommick, "La présence de Debussy dans la vie et l'œuvre de Manuel de Falla: Essai d'interprétation," *Cahiers Debussy* 30 (2006): 27–83.

21. Falla had studied with the composer and musicologist Felipe Pedrell in Madrid, and Maurice Emmanuel reported that Debussy once "showed me a publication which he was carrying about *in his pocket*: it was Pedrell's collection of Spanish folk-songs. By a silent gesture he expressed the inspiration he had derived from them." Cited in Edward Lockspeiser, *Debussy: His Life and Mind* (Cambridge: Cambridge University Press, 1978), II:260. Lockspeiser speculated that the volume Debussy was carrying was probably Pedrell's *La Cançó popular catalana* (Barcelona, 1906).

22. Manuel de Falla wrote this comment on 8 November 1920, and it was published in "Claude Debussy et l'Espagne," *La Revue musicale* (1 December 1920): 206–10. Translated in Lockspeiser, II:257, as well as in Manuel de Falla, *On Music and Musicians*, trans. David Urman and J. M. Thomson (London and Boston: Marion Boyars, 1979), 41–45.

23. See Roy Howat's discussion of "Sources of Titles" in his Foreward to the *Préludes*, *Œuvres Complètes de Claude Debussy*, Série I, vol. 5 (Paris: Durand-Costallat, 1985), xiii and xvii.

24 This might explain Debussy's retention of "Coquetterie posthume," drawn from Gautier's later *Emaux et Camées*, in the Recueil Vasnier, and the omission of his two other settings of Gautier poems, "Séguidille" and "Les Papillons," which were penned much earlier by the poet.

EDITORIAL PRINCIPLES

The treatment of the poetic text is an important factor in any edition of songs. When Debussy occasionally altered Gautier's text, his version is preserved and such changes are discussed in the table of variants. However, the present edition reverts to the original poem when minor changes in punctuation, capitalization, syllabification, and spelling are concerned, as these do not appear to be deliberate compositional revisions. In "Séguidille," Debussy often repeated phrases of text, an approach which he would eschew as he matured. In such passages, additional punctuation has been editorially added. Untexted melodic material is left as is, for singers to vocalize as they see fit.

Like many of Debussy's early songs, the melodic line of "Séguidille" incorporates melismatic passages, a textual treatment deliberately avoided in his later songs. In such passages, he followed the traditional notational practice of a dash (—) after the prolonged syllable and/or beaming the melismatic notes together. The present edition tacitly combines both notational conventions when not present in the manuscript; slurs are added editorially in texted melismatic passages, and maintained in the few instances when Debussy wrote them in non-texted passages.

The speed with which Debussy was apparently working sometimes resulted in minor and obvious misplacements of accidentals, accidentals incompletely applied to doubled unisons or octaves, or accidentals applied to one bar of an ostinato passage but not to the other bars. In such cases, accidentals are added editorially (printed in smaller type). As well, Debussy sometimes applied prolongation dots or fermatas to all but one or two chordal members, and ties over system breaks may have been notated in the first bar but not connected to the next bar, or *vice versa*. In such cases, the missing prolongation dots, fermatas, and ties are tacitly added.

The manuscript of "Séguidille" contains no dynamic markings whatsoever. The present editor leaves this decision to the musicianship and *bon goût* of the performers.

Differences in notation without musical effect, such as the direction of stems or the beaming of notes, are tacitly corrected in the present edition except when they explicitly reveal Debussy's intentions for voice leading. Editorial additions for rhythms and articulation markings are indicated in square brackets, editorial accidentals and rests are engraved in smaller type, and editorial slurs and hairpin dynamics are printed as ⌢, ⦉, and ⦊, respectively.

Marie Rolf

Séguidille

Poème de Théophile Gautier

© 2014 Éditions DURAND
Paris, France

D. & F. 16113

Un ju-pon ser - ré sur les han - - - - ches, Un

peigne é - nor - - me___ sur___ son___ chi - gnon,

Jam - be ner - veuse et___ pied___ mi -

- gnon, Œil___ de___ feu, teint___ pâle et dents___ blan - ches;

Jam - be ner-veuse et pied mi-gnon, Jam - be ner-veuse et pied mi-gnon,

* *Sol*₅[♮] possible ; aucune altération dans A
  possibly [♮]g₅ ; no accidental is present in A

son____ des cas-ta - gnet - tes,

Et,

dans les cour - - - ses____ de tau - - reaux,____

Ju - ger les coups des____ to - re -

- ros, Ju - ger les coups des____ to - re____ ros,

* *Sol₅*[♮] possible ; aucune altération dans A
possibly [♮]g₅ ; no accidental is present in A

CRITICAL NOTES
NOTES CRITIQUES

ABRÉVIATIONS

A	manuscrit autographe
L	source littéraire
OC	Œuvres complètes de Claude Debussy
inf.	inférieur
m.d.	main droite
mes.	mesure
m.g.	main gauche
u.s.	portée supérieure
l.s.	portée inférieure

Notation des mesures et des temps :

26, 28, 30	mesures 26, 28 et 30
26-28	mesures 26 à 28
26.3	temps 3 de mesure 26, indiqué par le dénominateur de l'indication de mesure (dans une mesure à $\frac{9}{8}$, la 3e $\flat$; dans une mesure à $\frac{3}{4}$, la 3e $\flat$)
26.3-28.2	temps 3 de mesure 26 à temps 2 de mesure 28
26, 28/3	temps 3 des mesures 26 et 28
26, 28/1-3	temps 1 à 3 des mesures 26 et 28
26-28, 30-32	mesures 26 à 28 et 30 à 32

Notation des hauteurs :

ABBREVIATIONS

A	autograph manuscript
L	literary source
OC	Complete Works of Claude Debussy
inf.	lower
m.d.	right hand
m.	measure
m.g.	left hand
u.s.	upper staff
l.s.	lower staff

Indications of measures and beats:

26, 28, 30	mm. 26, 28 and 30
26-28	mm. 26 to 28
26.3	the third beat of m. 26, according to the denominator of the time signature (in $\frac{9}{8}$, the third $\flat$; in $\frac{3}{4}$, the third $\flat$)
26.3-28.2	from the third beat of m. 26 to the second beat of m. 28
26, 28/3	the third beats of mm. 26 and 28
26, 28/1-3	from the first to third beat of mm. 26 and 28
26-28, 30-32	mm. 26 to 28 and 30 to 32

Pitch notation:

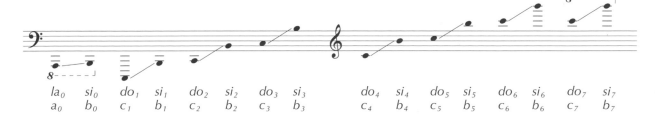

| la_0 | si_0 | do_1 | si_1 | do_2 | si_2 | do_3 | si_3 | do_4 | si_4 | do_5 | si_5 | do_6 | si_6 | do_7 | si_7 |
| a_0 | b_0 | c_1 | b_1 | c_2 | b_2 | c_3 | b_3 | c_4 | b_4 | c_5 | b_5 | c_6 | b_6 | c_7 | b_7 |

12

DESCRIPTION OF SOURCES

Musical text

A : Autograph manuscript of "Séguidille," in a private U.S. collection, formerly owned by Gregor Piatigorsky and cited in the Kra catalog of 10 May 1930. Two nested bifolios, 12-staved paper (piano-vocal score format), 34.8 cm. × 27 cm. Contains the lozenge-shaped embossment of "LARD ESNAULT / Paris / 25, RUE FEYDEAU" but no watermarks. The music is notated in black ink throughout, with some musical changes and added text in lead pencil. Folio 1 includes the title page and one page of music, folios 2-3 contain four pages of music, and folio 4 includes the last page of music, followed by a page of sketches for the song. The artful presentation of the title page features "Sèguidille [*sic*]" in the center, creatively lettered diagonally down to the right, followed by "poesie. [*sic*] de Th. Gauthier [*sic*]." [left, below title] and "musique de. Ach. Debussy." [right, below the credit to Gautier]. A dedication "a [*sic*] Madame Vasnier." appears on the top right of the title page. While this manuscript is not dated, Debussy's signature of "Ach. Debussy" on the last page of the "Séguidille" score is quite similar to his signature for *Invocation*, from May 1883, as well as that on the flyleaf of the Recueil Vasnier, which was likely copied from 1883 to early 1884.

As explained in the Introduction, Debussy penned a version of "Séguidille" immediately following his other Gautier setting in the Recueil Vasnier, "Coquetterie posthume," but he removed the folio from the songbook. Blot marks that bled from this removed folio reveal the outlines of the accompaniment as well as descending arabesque-like triplets of the vocal line of "Séguidille" which match the flourishes in the sketches on folio 4v of A. Knowing that the composer had at least some inkling in mind for "Séguidille" at the time that he notated his "Coquetterie posthume" (dated "31 Mars. 83."), but that it was an altered version from A, one could surmise that "Séguidille" was probably composed ca. 1883.

Poetic text

L : Théophile Gautier, *Premières poésies* (1830-1845), Paris, Charpentier, 1873 [the same version of the poem was also published by Charpentier in 1870 and in 1866].

TEXT[1]

SÉGUIDILLE

Un jupon serré sur les hanches,
Un peigne énorme à[2] son chignon,
Jambe nerveuse et pied mignon,
Œil de feu, teint pâle et dents blanches ;[3]
    Alza ! olà !
      Voilà
La véritable Manola.[4]

Gestes hardis, libre parole,
Sel et piment à pleine main,
Oubli parfait du lendemain,
Amour fantasque et grâce folle ;[5]
    [Alza ! olà !
      Voilà
La véritable Manola.][6]

Chanter, danser aux castagnettes[7],
Et, dans les courses de taureaux,
Juger les coups des toreros,[8]
Tout en fumant des cigarettes ;[9]
    Alza ! olà !
      Voilà
La véritable Manola.[10]

---

[1] At this period in his compositional life, Debussy was not attentive to issues of punctuation in the poetry he chose to set; the present edition highlights only those instances where the composer changed the actual words of the poetry.

[2] A: "sur" instead of "à" (m. 57)

[3] A: repeats "Jambe nerveuse et pied mignon" twice, followed by three "Ah"s. (mm. 70-76)

[4] A: repeat of "Alza ! olà ! Ah Voilà, Ah Voilà La véritable Manola." (mm. 82-97)

[5] A: repeats "Amour fantasque et grâce folle" twice, followed by two iterations of "Oubli parfait du lendemain, Amour fantasque et grâce folle," and then "Amour fantasque, Amour fantasque et grâce folle." (mm. 128-148)

[6] The passage within square brackets was not set by Debussy

[7] A: "au son des castagnettes" instead of "aux castagnettes." (mm. 159-160)

[8] A: repeats "Juger les coups des toreros." (mm. 176-179)

[9] A: repeats "Tout en fumant des cigarettes," followed by three "Ah"s. (mm. 182-186)

[10] A: repeat of "Alza ! olà ! Ah Voilà, Ah Voilà La véritable Manola." (mm. 192-207)

VARIANTS, CORRECTIONS, REMARKS

Bar, beat	Staff	Variants, corrections, remarks
5, 6, 7, 8	pf lower	A: ♪𝄾♪; OC changes to ♪♪𝄾, following the ostinato rhythm of the parallel passage in mm. 13-16
39	pf lower	A: 𝅘𝅥 𝄾 𝅘𝅥 for lowest voice; OC changes to 𝅘𝅥 𝅘𝅥, as in A, mm. 40, 41, 42
40.2	pf lower	A: c_5 is visible but the upper beam goes from g_4 to $b_4\flat$; OC omits the c_5, following the beaming and the fact that CD writes "2 fois." for this passage, indicating that mm. 40.2 and 42.2 (which clearly has no c_5) should be parallel
46	v	A: e_4 is notated as 𝅘𝅥𝅭 but also as ♪ 𝄾 𝄾; OC adopts ♪ 𝄾 𝄾 to allow more time for the singer to breathe
62.2, 172.2	pf lower	A: b_3 is 𝅗𝅥 and 𝅘𝅥; OC retains 𝅗𝅥 as there is a 𝄾 on beat 3
67.1, 177.1	pf lower	A: principal note is d_4; OC changes principal note to f_4, following sequential pattern from m. 63.1 and m. 173.1, respectively
77	pf lower	A: 𝅘𝅥𝅭 in lead pencil and 𝄼 [sic] in black ink; OC omits the 𝄼, following the pencilled addition
87, 89, 197, 199	pf upper	A: triads are notated as 𝅘𝅥 𝅘𝅥 𝅘𝅥 [sic]; OC corrects to 𝅘𝅥𝅮𝅮𝅮
117.2	pf lower	A: f_4 is notated as $f_4\flat$ [sic]; OC corrects to $f_4\natural$, following the chromatic descent
123.2-3	v	A: (music notation) OC changes to (music notation)
127.1	v	A: $f_5[\sharp]$ is notated as 𝅘𝅥𝅭 but also as 𝅘𝅥 𝅘𝅥; OC adopts 𝅘𝅥 𝅘𝅥, following the syllabification of the text
128.2	pf lower	A: top note is f_4; OC changes top note to g_4, following the harmony in the u.s., and as in m. 132.2
132.2-3	pf lower	A: prolongation dots after g_4 and d_4 [sic]; OC removes prolongation dots after g_4 and d_4
137.1	pf lower	A: lowest note is e_1; OC interprets extra ledger line as a slip of the pen and corrects to g_1
139-140	v, pf	A: between mm. 139 and 140, four additional mm.— consisting of a fully harmonized repetition of the motive present in the v, mm. 136-139—were notated in the pf in black ink but crossed out in lead pencil
140	pf	A (u.s.): 𝄾♪𝄾; OC changes to 𝄾𝄾♪, following the rhythmic pattern of mm. 141-143 A (l.s.): beat 1 is 𝅘𝅥𝅭; OC changes beat 1 to 𝅗𝅥, as in mm. 136, 137, 138, 141, 142
148.3	v	A: ⌣𝅘𝅥 [sic]; OC corrects to ⌣♪
150.2-151.1	v	A: originally (music notation) in black ink, but (music notation) is added in lead pencil; OC adopts the pencil change
151.2	v	A: b_4 is 𝅘𝅥 in lead pencil; OC follows the thirty-second-note figuration in black ink
152.2	v	A: a_5 is 𝅘𝅥 in lead pencil; OC follows the thirty-second-note figuration in black ink

également aux Éditions DURAND

ŒUVRES COMPLÈTES DE CLAUDE DEBUSSY

nouvelle édition critique
de l'intégrale de l'œuvre répartie en six séries

Volumes reliés pleine toile sous jaquette illustrée, format 230 × 310 mm.

Édition musicologique, textes de présentation bilingues (français-anglais) : avant-propos (chronologie des œuvres), bibliographie sélective, notes critiques (description des sources), variantes, appendices et fac-similés.

SÉRIE I : ŒUVRES POUR PIANO

Volume 1
Danse bohémienne
Danse (Tarentelle styrienne)
Ballade (Ballade slave)
Valse romantique
Suite bergamasque
Rêverie
Mazurka
Deux Arabesques
Nocturne

Volume 2
Images (1894)
Pour le piano
Children's corner

Volume 3
Estampes
D'un cahier d'esquisses
Masques
L'Isle joyeuse
Images (1re Série)
Images (2e Série)

Volume 4
Morceau de concours (Musica)
The little Nigar
Hommage à Haydn
La plus que lente
La Boîte à joujoux
Six Épigraphes antiques
Berceuse héroïque
Pour l'Œuvre du « Vêtement du blessé »
Élégie
Les Soirs illuminés par l'ardeur du charbon
Intermède

Volume 5
Préludes (1er Livre)
Préludes (2e Livre)

Volume 6
Études

Volume 7
Œuvres pour piano à 4 mains
Symphonie
Andante cantabile
Ouverture Diane
Triomphe de Bacchus
Intermezzo
L'Enfant prodigue
Divertissement
Printemps

Volume 8
Œuvres pour deux pianos
Prélude à l'après-midi d'un faune
Lindaraja
En blanc et noir

Volume 9
Œuvres pour piano à 4 mains
Première Suite d'orchestre
Petite Suite
Marche écossaise
La Mer
Six Épigraphes antiques
Deux Danses
(réduction pour deux pianos)